Fatemeh Sarmashghi y Zahra Sarmashghi

Traducción: Lawrence Schimel

Ballena negra

AMANUENSE®

Ese día Emy y Yayo
jugaban con un globo.
Yayo sopló con fuerza
y comenzó a inflarlo.

¡FFFFUUFF!

Al comienzo,
el globo parecía
un pequeño pez negro.

Pero creció y creció
y siguió creciendo...
¡Uy! ¡El globo ya no
parecía un pez!

Se había convertido en una **enorme ballena negra**

—¡Una ballena! ¡Una ballena negra!, cantaban Yayo y Emy. ¡Ahora tenían una ballena muy grande y muy negra!

De pronto la ballena despertó,
miró a Yayo, abrió la boca... y
se lo comió de un solo bocado.

¡ÑAM!

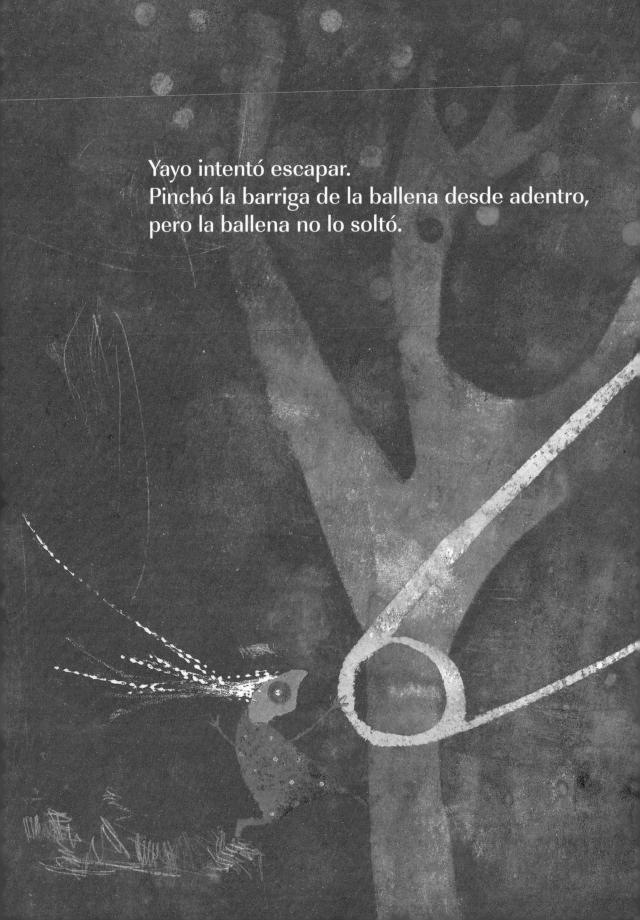

Yayo intentó escapar.
Pinchó la barriga de la ballena desde adentro,
pero la ballena no lo soltó.

Emy no quería perder a su hermano.
"Debo hacer estornudar a esta ballena
negra", pensó.

Probó hacerle cosquillas
con una pluma.
La ballena se estremeció,
pero no estornudó.

Corriendo, Emy buscó pimienta
en la cocina y la puso debajo de
la nariz negra de la ballena.

La ballena inhaló y
estornudó ruidosamente.
Yayo salió disparado.

¡POR FIN!

Entonces la barriga de la
ballena gruñó de hambre.

¡Pobrecita!

Yayo miró al cielo, que estaba lleno de nubes con forma de pequeños peces.

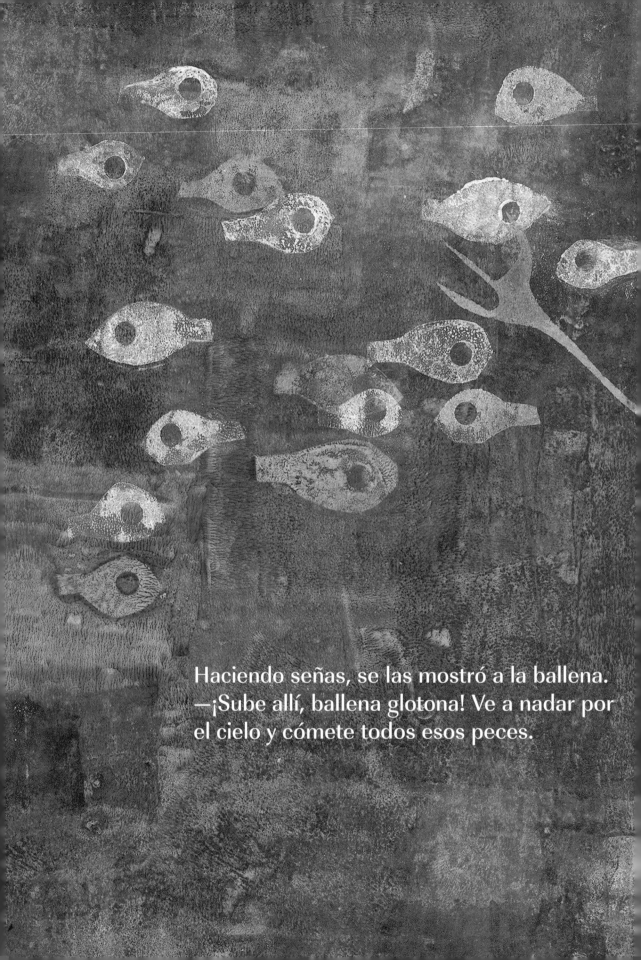

Haciendo señas, se las mostró a la ballena.
—¡Sube allí, ballena glotona! Ve a nadar por
el cielo y cómete todos esos peces.

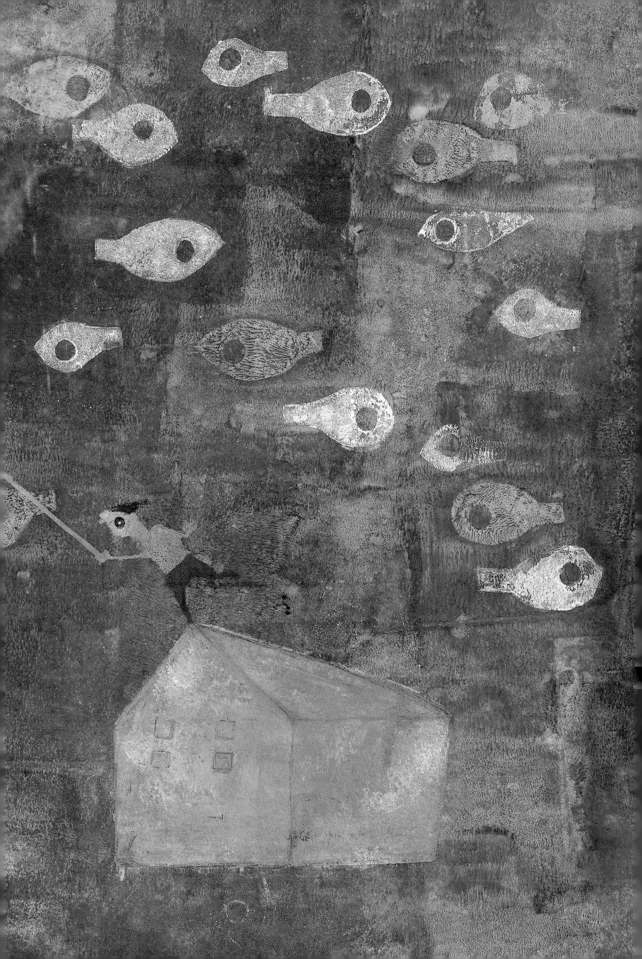

Y así fue.
La ballena de globo se escapó por la ventana,
subió al cielo y se comió todos los peces de
nube que pudo.

LAS AUTORAS

Fatemeh y Zahra Sarmashghi son dos jóvenes hermanas nacidas en Karaj, Irán, en 1978 y 1989 respectivamente. Fatemeh, la mayor, tiene un máster en literatura y es escritora. Zahra, la más chica, estudió fotografía y es una destacada ilustradora de libros para niños. Juntas, estas hermanas han creado cuentos maravillosos, como *Ballena negra*.